# 페키니즈 엄마의 봄

**#들어가며**

어렸을 때, 하루는 비가 엄청 오고 흐린 날 낮잠 한숨 푹 자고 일어났는데 학교 늦었다고 급히 가방 메고 대문 밖 신작로로 뛰어나간 적이 있다. 사실 오후 5시였는데 아침인 줄 알고 착각했던 것이다. 누구나 한 번쯤 겪어봤을 것이다. 그저 푹 자고 일어났을 뿐인데 어느덧 나이 60을 코앞에 두고 있다. 어느새 내가 이만큼이나 와있었던가. 매번 봄은 새롭게 또다시 그 자리에 찾아오는데, 하나 둘씩 피어나는 흰머리는 그 자리에 더 많이 찾아온다. 문학소녀가 꿈이었고 늘 앞에 나서는 걸 은근 즐겼던 나는 하고 싶었던 걸 이제야 하나하나씩 해보련다.

**봄은 나이를 먹지 않는다.**
**나에게 봄은 이제부터다.**

# 차례

## Part 4



## Part 5

# Part 1

## #농부의 딸로 태어나다

어느 따사로운 밤 아카시아 향기를 머금고 경기도 일산의 어느 한적한 시골 마을 농부의 딸로 태어났다. 1966년 4월 15일 봄이었다. 태어나보니 할머니는 건너방 문을 쾅하고 크게 닫으며

"또 딸이야? 또 딸이냐구?"

큰 소리를 내셨고, 엄마는 산고의 고통보다 할머니의 구박이 더 무섭고 아프셨던 것 같다. 아니 생각해보니 어이없다. 나의 탄생을 기뻐해도 부족할 판에 이 싸늘한 분위기는 무엇이던가? 기분 나빠서 다시 엄마 뱃속으로 들어갈 수도 없고. 이유인즉, 내 위로 언니가 세 명이나 벌써 세상 밖으로 나왔고, 나는 그렇게 원하던 아들을

학수고대하다가 넷째 딸로 태어난 것이다.

시련은 여기서 그치지 않았다. 같은 날 4월 15일 담장도 없이 살던 아랫집 아주머니가 첫아이를 낳았는데 아들이었다. 그 후 우리 할머니는 누구는 시집와서 떡하니 첫아들 잘도 낳는데 너는 내리 쭈욱 딸만 넷을 낳는다고 구박하셨고, 그 구박은 날로 심해졌다. 그래도 성품이 온순하고 자상하신 아버지가 엄마의 힘이 되어주셨다.

몇 년이 흘러 엄마는 언젠가 꼭 아들을 낳으리라 다짐하신 듯이 다섯째를 가지셨고, 할머니, 아버지, 엄마의 기대와 전혀 다른 아기의 울음소리가 퍼졌다. 다섯째 딸이 내 밑으로 또 태어났다. 그 당시 우리 집은 온통 초상집보다 더한 적막이 흘렀다. 며칠째 누구 하나 말을 건네는 이 없었다.

**#빡빡머리**

딸 다섯의 넷째로 무럭무럭 자랐다. 딸 다섯 중에 성격도 제일 활발했고 명량한 편인 나는 재주도 많았다. 승부욕도 강하고 심부름을 도맡아 했다.

그러던 어느 날, 아버지의 손에 이끌려 이발소를 가게 되었는데 아버지가 이발하시고 갑자기 나도 머리를 빡빡 깎아 달라는 것이다. 난 속수무책으로 빡빡머리가 돼서 나왔다. 며칠 뒤, 아버지는 이번엔 일산 장날에 날 데리고 가서 남자아이들 입는 검은 양복을 하나 사서 입혀 주셨다. 아버지는 혼잣말로

“됐다, 딱이야. 사내아이 같다.”

하시더니 일산역 어느 허름한 선술집으로 나를 끌고 들어가셨다. 빨간 불빛 아래에 몇몇의 손님들이 둘러 앉아있었다. 뽀글뽀글한 파마머리에 빨간 입술의 언니들이 막걸리 한 상을 아버지 앞으로 내주시며 말했다.

"어머나~ 아들인가 봐요? 잘 생겼네~ 눈도 커다란 게 아저씨 똑닮았네~"

나는 어이가 없었지만 어느새 내 손엔 커다란 사탕이 쥐어져 있었다. 아버지는 기분 좋게 막걸리를 들이켜시더니 갑자기 나보고 일어나 노래를 해보라고 하셨다. 영문도 모르고 숟가락을 마이크 삼아 노래를 했다. 박수 소리와 함께 종이돈 백 원이 내 손에 쥐어졌다. 그 당시 아버지는 아들 없는 게 너무 허전하셨나 보다. 당신의 대리만족으로 나를 아들로 변장시키시고 자랑하듯 흐뭇해하시는 아버지의 얼굴을 보았다.

## #일산 열무

다섯째가 태어나고 몇 해가 지난 어느 날 엄마의 끈질긴 아들 사랑에 드디어 우리 집에도 아들이 태어났고, 연이어 그다음 해 또 아들을 낳았다. 엄마는 그간 설움을 다 잊은 듯 기뻐했고, 할머니의 웃음소리도 오랜만에 들을 수 있었다. 그렇게 우리 집은 7남매 대가족이 되었다.

아버지는 늘 부지런하셨다. 자식이 많다 보니 농사도 지으며, 겨울엔 이것저것 안 해본 일없이 고생을 자처하셨다. 일산은 원래 열무가 유명하다. 집집마다 열무 농사를 많이 지어서 자식들 뒷바라지를 하는 그런 동네다. 우리 집도 열무를 많이 심었는데, 일손이 늘 부족했다. 매일 같이 우리 집 앞마당엔 열무가 한 가득이었다. 부모님은 밭에서 연신 열무를 뽑아 나르고 나는 어린 고사리 손으로 다

듣고 묶기를 매일 반복해야만했다. 그때 내 나이 열 살 정도가 됐다. 짚으로 묶는데 그때마다 아버지는 폭풍 칭찬을 해주셨다. 조금 꾀라도 부리고 싶다가도 그 폭풍 칭찬에 도로 주저앉기를 여러 번 했다. 심지어 이렇게도 말씀하셨다.

"아~ 글쎄! 아현동 시장에서 우리 명숙이가 묶은 열무가 1순위로 잘 팔린다니까?"

그땐 진짜인 줄 알고 백단, 백오십 단씩 묶었다. 아버지는 약으시다. 칭찬은 고래도 춤추게 한다는 걸 아시고는 딸인 내게 써먹으신 것이다. 난 춤추듯 즐겁게 열무를 묶고 또 묶었다. 손이 아팠다.

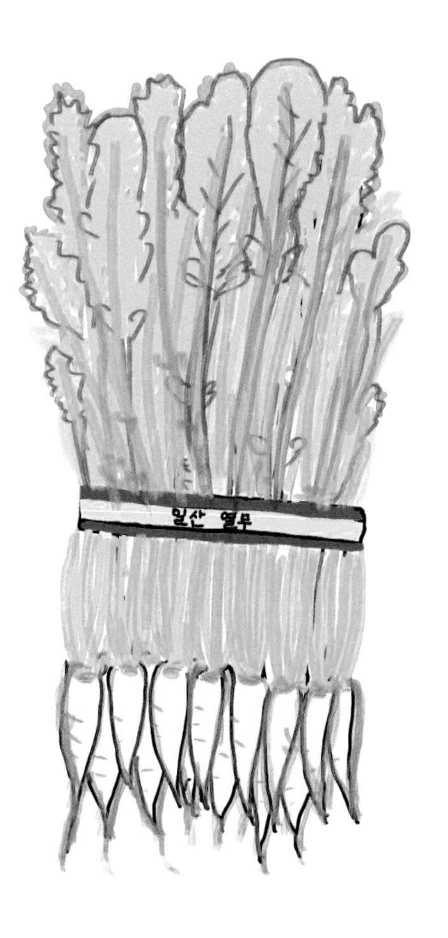
일산 열무

**#연시감**

온통 울긋불긋 단풍으로 산과 동네를 휘감은 완연한 가을 정취다. 벌써 나는 5학년이 되었고, 언니 세 명은 전부 인천으로 올라가 그곳에서 중·고등학교를 다녔기에 집에서는 나 혼자 동생들 세 명을 챙겨야 했다. 늘 언니들이 그리웠다. 빨리 커서 나도 인천으로 가는 날만 손꼽아 기다렸다.

오늘도 엄마는 새벽시장에 열무를 팔러 가셨고, 아버지는 소죽을 끓이시고 밥을 해놓고 나를 깨우신다.

"명숙아~ 일어나 도시락도 싸고~ 늦어, 언능 일어나~"

좀 더 자고 싶었지만 나는 벌떡 일어나 부엌으로 가서 할머니의 아침상을 먼저 차려 드리고, 나는 아버지와 동생들을 데리고 먹는다. 좀 늦장 부리느라 미쳐 도시락을 못 챙긴 날이면 점심시간에 동생 명희를 데리고 점심을 먹기 위해 논둑길을 한달음에 뛰어 집으로 간다.

그날도 집에 와서 동생과 점심을 먹고 종치기 전에 학교 교문을 들어가야 하기 때문에 열심히 앞장서서 뛰는데 갑자기 통통하고 예쁜 연시감이 논길 위에 놓여 있는 게 아닌가? 순간 이걸 엄마에게 갖다 드려야지 하는 마음에 조심스레 집었는데 이게 웬걸. 겉은 멀쩡한데 속은 다 썩었다. 나는 순간 뭔가 홀린 듯 기분이 나빴다.

'시간도 없는데 재수 없네.'

하며 뒷발로 세게 내리쳤다. 그 순간 뒤에서 비명소리가 들렸다. 돌아보니 뒤따라 뛰어오던 여동생의 오른쪽 눈에 정통으로 맞아 땅바닥에 주저앉아 우는 것이다.

'아뿔싸!'

나는 순간 동생이 뒤에 오는 걸 깜빡했던 것이다. 너무 미안해서 달래며 학교 수돗가에서 얼굴을 씻겼다. 결국 그놈의 연시감 때문에 지각 해버렸고 선생님께 혼났다. 그 후 동생은 지금까지도 내 뒷발질 안 당해본 사람은 그 고통을 모른다고 놀려댄다.

## #난이네 당근 밭 결투

우리 동네에는 나와 같은 이름의 명숙이가 나 말고 또 있었다. 동갑내기이고, 난 박명숙인데 그 앤 김명숙이다. 나는 계속 일산에 살았고 김명숙은 아버지가 교육자시라 전근 가실 때마다 이사를 다녔다. 국민학교 6년 동안 두 번이나 우리 학교를 왔다 가곤 했다. 조부모님은 원래 동네분이시라 방학 때면 자주 놀러 왔다.

우리 동네는 우물터가 있었는데 바로 종남이 오빠네 집 앞에 있었다. 그리고 그 좌측은 나 박명숙, 우측은 김명숙이 살았다. 우린 5학년이고 종남오빠는 6학년으로 한 살 많은 오빠였는데, 나랑 친했고 잘 놀았다. 그런데 어느 날, 종남오빠가 경주로 수학여행을 가는데 내게 선물 하나를 사준다고 하길래 나는 너무 기뻐하며 첨성대와 불국사가 새겨진 큰 연필을 말했고 종남오빠는 알았다며 수학

여행을 갔다. 난 어린 마음에 선물보다 나를 생각했다는 게 너무 좋았다.

3일 후, 그 오빠는 분명 수학여행에 갔다 온 것 같은데 코빼기도 보이지 않았다. 궁금해 하며 기다리는데 김명숙이 우리 집에 놀자고 와서는 커다란 경주 연필을 내게 보여주며 이게 종남오빠가 자기 사다준 거라고 자랑을 했다. 순간 어처구니가 없었지만 며칠 더 기다려보기로 했다.

하지만 며칠이 더 지나도 아무 소식도 변명도 없었다. 나는 화가 머리끝까지 났다.

'오늘은 결판을 내리라'

하고 6교시 끝나고 매일 지나다니던 난이네 당근 밭에 먼저 가서 매복을 하고 김명숙이 지나가길 기다렸다. 이윽고 저 멀리서 잠시 후 자기에게 무슨 일이 벌어질지 알지 못하고 콧노래를 부르며 오는 김명숙이 보였다. 난이네 당근 밭은 뚝 보다 낮은데다 수확 철이라 무성하게 당근이 자라 잘 안 보이는 게 장점이다. 김명숙이 더 가까이 오길 기다렸고, 순간 머리채를 잡아채서 당근 밭으로 끌고 들어갔다.

"야, 너 이 지지배! 그 연필 종남오빠가 나 사준다고 한 건데! 니 따위가 낚아채? 너 오늘 본때를 보여줄게! 정신 사납게 하지 말고 당장 이사가! 그냥 전학 가라고!"

나는 큰 소리로 퍼부어 댔고 영문도 모르는 김명숙이 말했다.

“너 왜 그래? 이러는 이유가 뭐야?!”

“그건 알 거 없고!”

양쪽 손에 잡히는 대로 당근을 뽑아 휘둘렀다. 참으로 나쁜 건 그 종남이 인간인데... 나한테 약속이나 하지 말지! 나는 화를 못 참고 애꿏은 김명숙에게 화풀이를 하고 말았으니.. 그땐 많이 속상했다.

당근 밭 주인은 아버지 친구이신데 그 다음날 우리 집에 와서는 어제 어떤 놈이 당근 밭을 쑥대밭으로 만들어놨다고, 잡히면 가만 안둔다고 하시 길래 뜨끔했다. 잠이 오질 않았다.

**#쟁기질**

중 1 때 일이다.

명숙아 부르며 아버지가 날 찾으신다. 난 들었지만 못 들은 척한다. 이건 분명 일을 하자고 찾는 아버지 목소리다. 시골엔 일을 해도 해도 끝이 없다. 자꾸 부르셔서 그제야 대답했더니 또 아버지는 막걸리를 한잔 걸치신 얼굴로 외양간에 가서 소를 끌고 나오시며

"내일모레 비가 온다니 밭을 갈아야 한다."

하신다. 난 어쩔 수 없이 밭으로 나갔다. 그러더니 쟁기를 소에다 묶고 쟁기 도구를 땅바닥에 묻더니 나보고 쟁기를 잡고 따라오라는 것이다. 처음 해보는 거라 아버지가 시키는 대로 했다. 아버지가 소

를 앞에서 끄시며 갑자기 큰 소리로

"이랴~ 이랴~ 가자"

하시면서 회초리로 소를 한대 때리시니 이놈의 소가 아프니까 힘껏 이리 뛰고 저리 뛰고 엄청 빠른 속도로 긴 밭을 단숨에 뛰는 것이다. 나는 쟁기를 잡고 소가 뛰는 속도에 밭을 갈기는커녕, 배트맨처럼 하늘로 오르다 아주 처참히 질질 끌려갔다. 그러더니 아버지는 밭 한 고랑을 뒤돌아보시더니

"아니 이놈의 지지배. 밭을 갈지도 않고 꾀를 부린다."

고 야단을 치신다. 나는 참 어이가 없어서

"아버지 그렇게 빨리 내달리시면 힘없는 나는 어떻게 해요. 그리고 역할이 바뀐 거 아니에요? 내가 앞에서 소를 몰고 힘센 아버지가 밭을 갈아야 하는 거 아니에요? 뭐 이런 집이 다 있어요!"

하고 아버지에게 대들었다. 아버지는 따박따박 말대꾸하는 나를 보더니 어이없었는지

"야야 그럼 바꿔. 바꿔봐"

나는 일이고 뭐고 뛰쳐나가고 싶었지만 막걸리를 드신 아버지 혼자서 밭을 갈기에는 마음이 불편해서 참고 3시간 동안 밭을 다 갈았다. 그 다음 날 아버지는 역할이 바뀌어도 밭만 갈면 된다 하신다. 나는 그때 아버지가 야속했다. 사춘기의 나를 몰라도 너무 모르신다. 혹시 아시면서 모른 척하실 수도 있다. 일할 사람이 없어서.

# Part 2

**#소녀목동**

나도 어느새 6학년 상급생이 되었다. 여느 때와 마찬가지로 나는 하는 일이 많았다. 학교에서 돌아오면 어미소와 새끼소를 끌고 여기 저기 풀을 찾아 데리고 다녀야만 했다. 아버지가 풀을 베어오시면 작두로 썰어 소죽도 끓이고, 열무도 다듬고 묶는 일의 반복이다. 언제 이 생활을 벗어나서 언니들처럼 인천으로 유학을 가나 까마득했다. 그야말로 지겨움의 연속이었다.

오늘도 외양간에서 나만 기다리는 소 두 마리를 끌고 지금의 자유로(고속도로) 근처까지 풀을 뜯으러 가는데, 한 번 다녀간 곳은 풀이 자라는 시간이 필요해 늘 다른 곳으로 찾아 헤맨다. 친구들과 놀고도 싶고, 하고 싶은 것도 많은데 늘 똑같은 일상의 반복이 너무 힘들었다. 그때마다 난 들판에서 노래를 크게 불렀다. 그때 유행하던 가수 '진미령'의 <하얀 민들레>, '혜은이'의 <당신만을 사랑해>를 하루에 몇 번씩 불렀다. 들판에 수많은 벼들이 관객인 것 마냥 노래며 연기며 혼자 중얼거리는 일이 많았고, 소들이 사람인 것 마냥 대사를 만들어 얘기를 하면 그나마 하루가 지겹지 않게 금방 지나갔다. 하루하루 어미소의 커다란 눈에는 석양이 비춰졌다.

**#국민학교 6학년 졸업식**

## #엄마의 눈물, 남한산성

엄마는 파주 감나무골에서 열여덟 살에 아버지를 만나 일산으로 시집을 왔다. 엄마는 말수도 많지 않으신데 유머가 풍부하고 인간관계가 좋다. 어려서 한 방에 아이들을 줄 맞춰 눕혀놓고 늘 '이수일과 심순애' 또 '해님, 달님' 이야기를 해주셨다. 우린 옹기종기 누워 엄마의 구연동화 속에서 늘 잠이 들곤 했다. 아마 요즘 시대에 태어나셨으면 학교 선생님이 잘 어울렸을 것 같다. 그리고 본인은 웃지도 않으시면서 개그를 하시며 상대를 웃게 만드는 그런 마력을 지니셨다. 글을 좋아하시고 시도 좋아하시고 그림도 잘 그리신다. 그런데 그런 엄마를 내가 울렸다.

중학교 2학년 때, 처음으로 멀리 남한산성으로 소풍을 가는 날이었다. 부푼 가슴을 안고 그 전날 동생 3명을 불러 모았다.

“이 언니가 차를 대절해서 내일 소풍을 가는데 너희 갖고 싶은 거 있음 사줄게 말해봐”

라고 큰소리를 쳤다. 여동생 명희는 칠성사이다(병), 큰 남동생은 뱀 장난감, 막내 동생은 나팔을 말하 길래

“걱정마, 사다줄게!”

하고 약속을 했다.

날은 밝아오고 드디어 소풍 당일, 엄마는 아침 일찍 김밥을 싸고 잘 갔다 오라고 물이랑 천원을 주셨다. 난 큰일 났다고 생각했다. 천원 가지고는 동생들 선물을 사는데 턱없이 부족했기 때문이다. 나는 엄마한테 돈을 더 달라고 요구했고, 엄마는 지금 돈이 없다고 천원만 가지고 가라며 버스 시간 늦는다고 그냥 가라 하셨다. 나는 안 된다고 떼를 썼고 영문도 모르는 엄마는 속상하게 하지 말고 빨리 가라고 하셨다. 난 주저앉아 엉엉 울었다. 엄마는 지나가던 윗집 아저씨한테 천원을 빌려서 주며 빨리 가라는데 나는 삼천 원 안 주면 안 간다고 누워버렸고, 마침 집으로 오신 아버지는 왜 우냐고 빨리 가라고 작대기로 나를 몇 대 때리셨다.

결국 어머니가 천원을 더 빌려와 주셔서 그제야 가려는데 정신 차려보니 버스는 이미 떠났다. 엄마는 왜 고집을 부리냐며 동네 아저씨네 차를 빌려 나를 태우고 학교로 쏜살같이 갔다. 마지막으로 교문을 나가는 버스에 난 허겁지겁 올라탔고 맨 뒤로 가서 앉으려

는데 창밖으로 누가 앉아서 우는 게 보였다. 가만히 보니 엄마였다. 나는 마음이 아팠다. 소풍 갔다 집에 와서 동생들 선물을 주고 괜히 엄마한테 미안했다. 엄마는 조용히 나를 불렀다.

“이 미련한 것아, 나 같으면 매 안 맞고 애들 선물 안 사다 준다.”

하시며 또 우시는 거다. 아버지한테 그 매를 맞고 소풍을 보내는 어미 심정을 니가 알긴 아냐고, 니가 커서 부모가 되면 알 것이라며 엄마는 그 날 이후로 일기를 쓰셨다. <남한산성>이라는 제목으로 나를 소재로 글을 쓰셨다. 그 후, 성인이 되어서도 나를 볼 때마다 그 일기를 또 읽어주시고 보여주시며 우신다. 엄마 딴에는 그 날 학교에 따라가 보니 다른 집은 자가용에 먹을 것 잔득해서 소풍 보내는데 우리 애는 작대기로 두들겨 패서 소풍을 보낸 걸 엄마는 잊지 못한다 하시며 우신다. 나는 무척 죄송하고 미안했다.

#처음 예배당을 가다

나의 중학교 시절은 얌전하지만은 않았다. 교우관계는 물론 웬만한 선생님들은 다 나를 아신다. 나서기를 좋아하고, '고양시 웅변대회'도 나갔고, 백일장에도 참가했고, 문학적으로 관심이 많았다.

그런 나도 어느덧 사춘기에 접어들었다. 매일 버스로 통학을 하던 어느 날 버스정류장에서 키 크고 잘생긴 오빠 한 명이 눈에 띄었다. 알고 보니 2년 선배인 고2 오빠였고, '대화교회' 고등부에 다니고 있다는 것까지 알았다. 신앙심이 하나도 없던 나는 이를 계기로 생각지도 않은 교회를 다니기 시작했다. 당시 늘 붙어 다니던 삼총사 친구들이 있었는데 혼자 다니기 뻘줌해서 친구 삼총사들도 교회로 불러 같이 다녔다. 그리고 친구들에게 내가 그 오빠를 좋아한다고 고백했다.

그 후 얼마 뒤 일요일, 교회에 갔을 때 처음 온 사람들은 목사님이 호명하면 일어나서 박수를 받았다. 한쪽에 그 멋진 오빠가 박수를 치는 모습이 내 눈에 들어왔다. 나는 삼총사와 함께 중·고등부에 입학해서 그 오빠와 자연스레 말도 하고 예배도 하고 찬양도 했다. 키도 크고 잘 생겼는데 거기다가 기타 솜씨도 멋졌다. 그 오빠 때문에 교회를 계속 다녔는데, 시간이 흘러 어느덧 나는 중학교를 졸업하고 인천에 있는 고등학교로 유학을 가게 되었다. 매주 주말마다 기차를 타고 시골집에 와서 교회도 가고 엄마가 해준 반찬이며 이것저것 가지고 일주일을 먹고 살았다.

큰 언니는 회사를 서울로 다녔고 얼마 후 결혼을 해서 둘째언니, 셋째 언니 그리고 나 이렇게 셋이 인천에서 자취를 했다. 그 오빠는 고등학교를 졸업하고 군 입대를 했다. 그 후 소식도 모르고 나는 나대로 인천에서 생활을 계속했다. 시간은 흘렀지만 어디선가 잘 살고 있을 것이다.

## #인천여상에 다니다

**#인천 중구 인중로 146 인천여자상업고등학교의 현재 모습**

( 출처 : 네이버지도 )

시골서 올라와 혹시나 촌스럽다고 수근 대는 걸 싫어했던 나는 반에서 늘 특별한 아이였다. 수업시간에 아이들이 졸면 어김없이 선생님은 나를 지목해서 교단 앞으로 나오라 하신다.

“박명숙, 노래 한번 불러봐”

하면 기다렸다는 듯이 뛰어나가 다리 한 쪽 흔들며 <그대로 그렇게>, <나 어떡해>를  불렀다. 그럼 순식간에 졸던 아이들도 박수를 치며 합창을 했다. 각반에 오락부장은 물론 체육대회 음원단장을 도맡아했다. 이렇게 나의 인천 유학생활은 무르익었다. 어차피 대학은 포기했기에 일찍이 취직을 해서 돈을 모아 시집 잘 가는 게 꿈이었다.

당시 동인천에 음악다방이 문전성시를 이뤘는데 친구들과 한 번씩 DJ가 있는 음악다방에도 가곤했다. 교복이 자율이다 보니 언니 옷 몰래 훔쳐 입고, 올드 팝송 비틀즈, 비지스, 퀸, 사이먼과 펑클, 신청곡을 적어 멋진 DJ오빠에게 건네주면 우리가 앉은 5번 테이블 신청곡을 그 많은 LP판 사이에 한 번은 꼭 집어 틀어준다. 너무 즐겁고 좋은 추억으로 기억된다.

**#인천여자상업고등학교 다니던 시절 모습**

**#첫 미팅**

그 당시 고등학생들 사이에선 분식집, 빵집에서 미팅하는 것이 유행이었는데 여고인 우리 학교도 다른 학교 남학생들과 한 번씩 미팅을 하곤 했다.

"나 아는 오빠들 있는데, 우리 셋이서 미팅 안 갈래?"

친구 선희가 제안을 했다. 우린 그 당시 고2. 상대는 다른 남고 고3 오빠들이었다.

"그럼 한번 주선해봐"

하고 돌아오는 일요일에 제물포 뒤쪽 '일미분식집'에서 3대3 미팅을 잡았다. 우린 한껏 멋을 내고 세 명이 약속장소로 갔더니, 벌써 남학생 세 명이 우릴 기다리고 있었다. 서로 인사를 하고 자리에 앉았다. 나는 순간 한눈에 들어오는 사람이 있었다. 키는 185cm에 훤칠했고 순수하게 생겼다. 속으로 제일 낫다고 생각하고 있을 즈음에 한 오빠가 소지품으로 상대를 결정하자고 제안했고, 여자들이 뒤돌아 있는 순간 남자들의 소지품을 탁자 위에 올려놓고 여학생들이 소지품을 집게 하자고 했다. 나는 맨 마지막으로 집었는데 이게 웬걸 내가 바라던 그 훤칠한 오빠 것이었다. 속으로 좋아했다. 서로 자리를 바꾸어 앞에 앉았고 우린 쫄면과 떡볶이 순대를 시켜서 맛있게 먹었다.

시간이 지나 그 오빠는 졸업과 동시에 서울 '교학사'에 취직을 했고 주에 한 번 정도는 제물포역에서 맛있는 것도 사주고 월급날이면 경양식집에서 돈가스도 사주었다. 그렇게 즐거운 시간들이 지나고 나도 고등학교를 졸업해 취직을 하게 됐다.

그런데 문제는 우리 아버지께서 남자친구인 그 오빠를 엄청 반대했다. 그 이유는 그 오빠네 형제가 11명이라는 것. 그것도 어머니가 두 분! 우리 아버지는 근본도 없는 집이라며 헤어질 것을 요구했고 그 오빠는 입영통지서를 받고 군대에 갔다. 아버지의 말씀대로 우린 그렇게 헤어졌다. 나는 한동안 의욕이 없었고 힘들었다. 그와 자주 갔던 제물포역 포장마차에서 혼자 마시는 소주가 이렇게 쓰고 독한 줄 몰랐다.

# Part 3

## #남편을 소개로 만나다

스물하나의 초가을.

오늘도 회사에 출근을 하고 하루하루가 바쁜 나날들이었다. 회사 앞 작은 화장품 가게가 있었는데, 여러 브랜드를 파는 종합화장품 가게였다. 립스틱을 다 써서 점심시간에 화장품가게에 갔었다. 아주 예쁜 점원이 친절히 이것저것을 보여주며 제일 잘 나가는 화장품을 추천해주었다. 아주 상냥하고 예뻤다. 처음 오셨냐며 커피도 한 잔 주며 이것저것 샘플로 많이 주었다. 알고 보니 나와 동갑내기였다.

자주 오라며 말도 잘 통하고 상냥해서 그날로 친구하기로 하고 다시 회사로 들어왔다. 며칠 후 심심해서 화장품가게를 들렀더니 잘 왔다며, 반갑게 맞아주었다. 그 친구는 잽싸게 커피를 한잔 끓여 내게 주더니 왠지 성격은 좋은데 우울해 보인다면서 나를 정확히 꿰

뚫어보는 게 아닌가.

그 때 당시 나는 좀 우울했었던 것은 사실이다. 내 감정을 바로 알아채서 깜짝 놀랐다. 그 친구는 남편이 세탁소를 운영하고 있고 결혼한 지 얼마 안 된 신혼이라고 했다. 그래서 그런지 에너지가 넘쳤다. 그 후 우린 친해졌고 나는 화장품 가게로 자주 커피를 마시러 갔다.

한 달쯤 지났을까? 그 친구가 말했다.

“너 남자 한 번 만나보지 않을래?”

부천에서 세탁소하는 사장인데 나이는 스물다섯이고 남편 친한 친구라고 했다. 열심히 살고 생활력도 강하다며 젊은 나이에 사장이 꿈이라 사업체를 운영한다고 말하면서 한번 만나보고 싫으면 나중에 안 봐도 된다는 말에 친구 말을 믿고 만나보기로 약속을 했다.

일주일 뒤, 그 친구와 먼저 만난 후 약속장소인 ‘코스모스다방’으로 향했다. 가보니 상대 남자는 아직 안 왔는지 보이지 않았다. 기분이 상했다. 먼저 와서 기다려야지 이게 무슨 꼴인가? 매너가 없다고 생각하고는 나는 친구에게 나가자고 말했다.

“한 10분만 더 기다려보자, 멀리서 와서 그럴 거야”

라고 친구는 나를 설득했고, 그렇게 좀 더 기다리니 한 남자가 문을 열고 들어왔다. 그렇게 한 남자가 내 앞에 앉았고, 우린 처음 인사를 나눴다. 하지만 나는 별로 관심이 가지 않았다. 쌍화차 세 잔을 시키고, 내 친구는 눈치를 보다 차를 빨리 마셔버리고는 자리에서 빠져주었다. 창가 쪽에 앉은 나는 남자의 얼굴을 보기 싫어서 자꾸 창밖에 지나가는 차들만 바라봤다. 앞에 있던 그 남자가 말했다.

"저 좀 한번 봐봐요. 늦어서 미안해요"

너무 일이 많아서 조금 늦었다고 자꾸 죄송하단 말뿐이었다. 한참 후 고개를 돌려 얼굴을 보니 진짜 별로였다. 정적이 흘렀고 빨리 나가서 집에 가고 싶었다. 그 남자는 자기 이상형이라고 커다란 눈, 하얀 피부가 늘 생각하던 그 모습이라며, 적극적이었다. 그 땐 휴대폰도 없어서 자기가게 연락처를 적어주고는 꼭 전화 기다리겠다고 전화 달라며 그렇게 우리 둘은 헤어졌다.

그 후로 나는 그 날 일을 완전히 잊고 지냈다. 얼마나 지났을까? 어느 덧 나는 회사를 그만두고 집에 있는 시간이 많아졌다. 숭의동에서 친구와 자취를 하고 있었는데 하루하루가 너무 길었다. 하루는 책상 정리를 하는데 툭 하고 쪽지가 떨어졌다. 그 쪽지는 전화번호였다. 그 때 소개받은 그 남자 번호였다. 시간도 많고 해서 공중전화로 전화를 했더니 엄청 반가운 목소리로 많이 전화를 기다렸다는 듯이 잠깐 만나자고 해서 만난 것이 지금의 남편이다. 그 후 우린 결혼을 했고 난 세탁소의 안주인이 되었다. 인연은 따로 있는가 보다.

#봉윤씨(남편)와의 사진

## #시댁에 처음 인사하러 가는 날

1986년, 우리나라에서 아시안 게임이 개최되면서 온 나라가 시끌벅적 축제 분위기였다. 남편과 결혼을 전제로 만났기에 몇 개월 후, 시부모님께 인사를 드리러 가게 되었다. 그때 내 나이 스물하나, 남편 나이 스물다섯. 가을이었다.

남편은 가난이 싫어 어릴 적부터 20대의 사장을 꿈꿔왔고 스물다섯의 나이에 부천에서 가게를 운영하고 있었다. <대양 세탁소> 그간 기술을 배워 어엿한 젊은 사장이었다. 손님들도 꽤 많았다.

남편의 고향은 전북 완주군 시골이고 나의 고향은 서울 근교 일산이다. 육형제 중 막내인 남편은 시골 여자보다 도시 여자를 좋아했다. 시댁에 가기로 한 어느 날, 입구에 도착해서 보니 완전 시골 그 자체였다. 사람들이 여럿 계셨고 도시 여자 왔다고 빙 둘러 앉아

계셨다. 둘이 큰절하고 앉으니 시댁 부모님께서 반갑게 맞아주셨다. 낯선 분위기에 한참 시간이 지난 후 어머님께서 말씀하셨다.

"멀리서 오느라 욕봤지. 쪼깨 시들어라~"

무슨 말인지 몰라서 나는 속으로 생각했다.

'욕봤지? 쪼개 시들어라? 욕인가? 내가 스물 하나인데 얼굴이 시들었다는 건가? 내가 맘에 안 드신 건가? 스물하나가 시들면 서른 하나는 어찌 되는 건가?'

속으로 별별 뜻풀이를 하면서 어리둥절한데 남편이 통역해 준다.

"멀리서 오느라 힘들었지? 조금 쉬어라."

하는 전라도 사투리였다. 처음 듣는 말에 당황했지만 금방 이해했다. 문화, 언어의 차이는 여기서 끝나지 않았다. 오이소박이를 절여 놓으신 어머님은 말씀하셨다.

"새아가, 저그가서 정구지 좀 가져오너라."

도무지 정구지가 뭔지 몰라 속으로 또 생각했다.

'달구지? 뭐지?'

알고 보니 부추라신다.

"아~ 부추요."

그제야 알았다.

잠시 후 툇마루 한쪽에 고구마 줄기를 반찬으로 쓰시려고 갖다 놓으셨길래 잎사귀를 버리고 줄거리만 벗겨서 어머님께 갔다 드렸더니

"잎사귀는 어디 있냐?"

하시길래

"버렸는데요."

했더니

"야~야~ 주워 오라."

하신다. 어머님은 가마솥에 줄기를 삶더니 곧이어 잎사귀를 삶으신

다. 잎사귀는 전분이 있어 아무리 손으로 짜도 물컹거린다. 어머님은 줄거리는 볶으시고 잎사귀를 된장 반, 고추장 반으로 무쳐내신다. 식사시간이 돼 모두 모였는데 다들 고구마 잎사귀 무침을 어찌나 잘 드시던지 나는 처음 보는 광경이라 신기하듯 쳐다봤다. 처음 보는 반찬에 난 쉽사리 손이 가질 않았다. 거기에 철이 없던 나는 잘 보인답시고 친근감 있게 한마디 했다.

"저희 일산에선 고구마 잎사귀는 소도 안 먹는데 여기 오니까 정말 잘들 드시네요. 호호호~"

그 말이 끝나자마자 분위기는 조용해졌다. 나는 얼굴이 빨개지고 죄송했다. 남편은 지금도 가끔 고구마 잎사귀 나물을 그리워한다.

#만삭의 몸으로 맞서다

1988년 6월, 첫아이를 가진 나는 두 달 후면 출산을 앞두고 있다. 다행히도 남편이 하던 세탁소가 너무 잘 됐다. 남편은 그 당시 파격적으로 남들이 안 하는 주문 배달을 했다. 앞을 내다보고 바쁜 직장인들이 가게에 직접 오는 시간적 수고를 덜어 방문 앞까지 배달 서비스를 시도했다. 남편의 계획은 적중했고 손님들의 호응도 엄청 좋았다. 그 후 세탁물은 가게 안에 가득 쌓이고 세탁물 수거와 배달까지 하루하루가 정말 바쁘게 지나갔다.

얼마 후 동네 세탁소 사장님들이 우르르 우리 가게로 모여들었다. 전부 다해서 열 명 정도가 모였다. 영문도 모르는 우리 부부는

"무슨 일로 오셨어요?"

물으니 그중에 험악한 얼굴에 한 아저씨가

"몰라서 묻는 거야?"

하며 쓰레기통을 발로 걷어찼다. 그 당시 나는 임신 8개월째라 배가 엄청 불러있었다. 그들이 말했다.

"왜 남의 구역에까지 와서 물건을 걷어가고 배달하고 난리야?"

다들 소리를 지르고 욕까지 하며 겁을 주었다. 나는 순간 가만히 있으면 안 될 것 같았다.

"당신은 가만히 있어요. 그만 다들 돌아가세요. 법적으로 문제가 있는 것도 아닌데 불만이면 당신들도 부지런히 주문 배달을 하면 되잖아요!"

큰 소리를 쳤다. 거의 40, 50대 되는 아저씨들이 젊은 새댁은 뭐냐고 책상을 쾅 하고 내리치는 것이 아닌가. 나는 일이 금방 끝날 것 같지 않아 세탁소 바닥에 그만 만삭의 몸으로 누워버렸다.

"맘대로 하세요. 우리는 문제 될 게 없으니"

큰 소리로 맞장을 떴다. 그날은 그냥 다들 돌아갔다. 그 일이 있은 후, 그 사람들은 한두 명씩 찾아와 우리 부부를 괴롭혔고, 우린 하는 수 없이 인천 석남동으로 가게를 이사하기로 했다. 임신 9개월에 우린 부천에서 새 보금자리 인천으로 이사를 했고, 다시 간판을 내걸고 열심히 살았다. 한 달 후, 태어날 우리 아기를 생각하며 남편은 오늘도 재봉틀에 앉아 불을 훤히 밝히고 재봉질을 한다.

**#부천 대양세탁소 시절**

## #첫 출산

1988년, 그 여름은 유난히 더웠다. TV에선 88 서울올림픽을 앞두고 온 국민이 축제 분위기였다. 만삭의 몸으로 부천에서 인천으로 가게를 옮기는 이사를 했다. 출산일이 가까워질수록 몸은 무거웠고, 의학이 발달한 지금처럼 성별을 바로 알 수 있는 시기가 아니라서 과연 딸인지 아들인지도 궁금하고 한편으론 겁도 나고 무서웠다. 하늘이 노래져야 아기를 낳을 수 있다는 얘기는 주변에서 하도 많이 들었다. 나는 자연분만이 아닌 제왕절개를 할 수밖에 없는 상태였다.

임신 4개월 때, 왼쪽 나팔관에 물혹이 점점 커져서 임신 상태에서 수술을 했다. 약물과 주사는 뱃속 아이 때문에 쓸 수가 없었다. 더군다나 남편은 자영업자다 보니 직장 의료보험 적용이 전혀 안 되었다. 비용 부담을 줄이고자 어쩔 수 없이 작은 산부인과에 입원했다. 제왕절개가 너무너무 무섭고 두려웠다. 드디어 수술실에서 마취 주사를 맞고 있는데, 어찌된 일인지 팔, 다리, 입은 마취되었는데 정신이 멀쩡하다. 칼로 베는 듯 너무 아픈 고통과 순간 살려달라고 엄청 말을 하는데, 입은 마취돼서 움직이질 않는다. 사경을 헤맨다는 말이 이럴 때 쓰이는 가보다. 간호사의 말이 들려온다.

"딸이네"

마취된 사람이 어찌 말을 할 수 있을까. 4.2kg까지 들린다. 회복실로 옮겨진 나는 움직일 수 없이 너무 아팠다. 간호사가 아이를 안고 들어오는 순간 와락 눈물이 하염없이 흘러내렸다. 아픔도 잊은 채 스물셋에 나는 엄마가 되었다.

너무너무 예쁜 딸, 잔병치레 없이 잘 자라주어서 늘 고맙고 의지가 되는 친구 같은 딸이다. 사랑한다.

3년 후 나는 아들을 또 낳았고 일찍이 두 아이의 엄마가 되었다.

#첫째 딸 출산

# #눈물의 유치원 졸업식

큰딸과 아들. 두 아이의 엄마가 되었다. 7살이 된 딸은 옆 건물에 있는 유치원에 다녔는데, 내년 3월이면 드디어 초등학교 입학을 한다. 그런데 유치원 졸업식을 앞둔 어느 날 딸내미가 내 심부름을 갔다 오는 길에 교통사고를 크게 당해 무려 10주간 병원에 입원하게 되었다. 큰 사고였음에도 그나마 이 정도임을 천만다행으로 여기며 안정을 찾으려고 애썼다. 병원에 꼼짝도 못 하고 누운 상태로 대소변을 받아내야 할 정도였다. 다시 생각해도 정말 큰 사고였다.

다니던 유치원 졸업식이 코앞이라 하루하루 눈물뿐이었다. 그렇게 졸업식 당일이 찾아오고 같은 유치원에 다니는 아이와 부모들이 축하의 꽃다발을 한가득 들고 있었다. 딸아이 없이 딸아이의 졸업장을 받으러 간 슬픈 하루였다. 딸 이름을 호명하자 나는 앞으로 나가

딸 대신 졸업장을 받고 눈이 퉁퉁 붓도록 울었다. 진짜 엄청 울었다. 딸에게 너무너무 미안해서 눈물이 멈추지 않았다. 하도 울어서 눈이 빨갛게 충혈이 됐다. 졸업장을 들고 병원에 와서 딸을 보고 또 울었다.

그렇게 시간은 흘러 이듬해 3월 초.

초등학교 입학식에도 우리 딸은 같이 있지 못했다. 아직 병원 생활을 해야 했기에 입학식에 혼자 간 나는 담임선생님을 만나고 공부할 교실을 둘러보고는 딸아이 책상에 앉아 또다시 참았던 눈물을 왈칵 쏟아냈다. 유치원 졸업식과 초등학교 입학식도 못 간 딸을 생각하니 가슴이 너무 아팠다.

그렇게 4월 말이 돼서야 딸을 데리고 학교에 갔다. 걱정했던 것과 달리 같은 반 아이들이 잘해주고 우리 딸도 적응을 잘 해나갔다. 기특했다. 힘들게 낳은 딸이라 엄마로서 너무 미안했고, 너무 감사했다. 고맙다 우리 딸아.

**#첫째 딸 유치원 졸업식**

# Part 4

## #성민식당을 오픈하다

1994년, 우리 집 바로 뒤에 제법 큰 종합병원이 공사 마무리 중이었다. 딸내미 교통사고 후 찾아오는 문병객들이 빈손이 아닌 음료수 한 박스라도 가지고 오는 걸 보고 나는 속으로 생각했다.

'병원 앞에서는 무슨 장사를 해도 무조건 잘되고 안정적일거야'

마침 병원 앞에 새로 지은 상가 한 동이 있었는데, 집도 가깝고 모든 게 마음에 들었다. 이런저런 생각을 하다가 작은 슈퍼를 차리면 좋을 것 같다고 생각했다. 문제는 돈이었다. 가진 재산이라고는 남편이 운영하는 세탁소 달랑 하나뿐인데 며칠을 고민하던 끝에 일산 아버지께 손을 내밀기로 했다. 한 열흘쯤 용기가 없어 전화기를 들었다 놓기를 반복했다. 결국 소주 반병을 마시고 늦은 밤 11시쯤 친정집에 전화했다. 부모님이 곤히 주무시는 시간이었는데 한참 만에 전화를 받으셨다.

“아부지, 나 한 번만 살려주세요. 딱 한 번만 도와주세요. 삼천만 원만 빌려주세요. 안 그러면 죽을 거예요.”

나는 다짜고짜 내 말만 하고 딱 끊어버렸다. 그날 아버지는 한밤중에 자다 봉창 두드리는 격의 소리를 들으시곤 한숨도 못 주무셨단다. 날이 밝자 일찍 아버지로부터 전화가 왔다. 일부러 받지 않았다. 계속해서 몇 번이나 전화벨이 울렸는데 받지 않았다. 결국 아버지는 직행버스를 타고 점심때 우리 집에 오셨다. 그렇게 빨리 오실 줄은 몰랐다. 나는 울면서 아버지 손을 잡고 바로 뒤 병원 건물 쪽으로 갔다.

“아버지, 이 병원 좀 보세요. 엄청 크죠. 준 종합병원이 보름 후 개원한대요. 병원 앞에서 장사하고 싶어요. 돈은 되는대로 이자 쳐서 원금까지 바로 갚을게요. 한 번만 도와주세요.”

하고 매달렸다.

“네가 장사를 할 곳은 어디냐? 무슨 장사를 하고 싶으냐?”

아버지가 물으시는데 너무 눈물이 났다.

"바로 병원 정문 앞 상가예요. 보증금과 물건 값 포함해서 삼천만 원만 있으면 돼요."

하고 상가 안으로 들어갔다. 아부지는 꼼꼼히 살피시더니 여기저기 한두 번씩 돌아보시고는

"알았다. 여긴 장사 되겠다."

**#인천광역시 서구 칠천왕로33번길 17 뉴성민병원의 현재 모습**

( 출처 : 네이버지도 )

하시며 내일까지 돈을 보내주시겠다며 일산으로 다시 돌아가셨다. 나는 너무 기쁘면서도 한편으론 죄송스러워서 또 눈물이 났다. 그때 내 나이 스물아홉이었다.

아버지는 약속대로 그다음 날 삼천오백만 원을 보내주셨고 오백만 원은 장사 밑천이라고 더 보내셨다. 나는 상가 주인을 만나 계약을 하려고 갔다. 그랬더니 슈퍼는 어제 날짜로 다른 사람이 벌써 계약을 한 상태란다. 한 건물에 슈퍼 두 개는 못 준다고 하니 난감했다.

'아버지한테 돈은 받았고, 다른 종목으로 해야 하는데...'

머리가 아팠다. 그렇다고 다시 돈을 아버지께 돌려 드릴 순 없어서 식당을 하기로 했다.

'스물아홉에 식당이라니..'

그렇게 식당을 하기로 하고 난 주방아줌마를 구해야했다. 동네 수소문 끝에 음식솜씨 좋기로 소문난 전라도 아줌마를 주방으로 쓰기로 하고 나는 카운터, 서빙을 하기로 했다. 그 병원은 성민병원 간판을 걸고 나는 그 앞에 성민식당이라는 간판으로 같은 날 동시에 오픈했다.

처음엔 병원도 생긴 지 얼마 안됐기에 알려지지 않았고, 큰 도로에 있는 것도 아니라서 손님이 너무 없었다. 하고자 하는 강한 의지만으로 몇 개월을 고생했다. 가게는 주방 이모에게 맡기고 아침엔 함바집(건설현장 안에 있는 간이식당으로 현장식당이라고도 한다) 알바, 오후엔 갈빗집 알바를 했다. 그러면서 언제든 주방 이모가 그만둘 수 있기에 사장이 음식 할 줄 모르면 타격이 심할 것 같다는 생각이 들어나 나름대로 음식을 배우기로 했다. 그렇게 스스로 고생을 자처하며 어느 덧 5개월이 지났다. 그 후 다행히도 손님들이 조금씩 늘어나면서 하루하루 바빠졌다.

당시 성민병원 지하에는 영안실(그때는 장례식장이 아닌 영안실이라고 불렸다)이 있었는데 하루는 영안실 사무장이 찾아왔다. 그러더니 영안실 음식을 맡아서 해달라는 것이다. 이 무슨 횡재인가 보통은 식당들이 먼저 하게 해달라고 사정해도 거절당하는 경우가 흔한데 나한테는 먼저 와서 해달라는 것이다. 나는 순간 하늘이 주신 기회다 싶어 90도로 인사를 하고 너무 기쁜 나머지 또 눈물을 흘렸다. 사무장님은 나를 지켜봤다고 했다. 딱 보기에도 젊은 분이 열심히 사는 것 같다면서 자기 가게 두고 알바를 다닌다는 것까지 주방 이모에게 들었던 모양이다.

그 일이 있은 후, 정말 몸이 열 개여도 부족할 정도로 열심히 했다. 김치는 매일 겉절이를 만들고, 영안실에 손님이 있으면 육개장 들통을 들고 뛰었다. 하루가 어떻게 가는지 모를 정도로 바쁘게 살았다. 열심히만 하면 누군가가 날 인정해 준다는 신념으로 죽기 살기로 했다. 그렇게 차츰 가게는 소문이 나면서 앉을 자리가 없어 손님들이 줄을 설 정도로 안정되고 성장했다. 몸무게가 7kg나 빠졌지만 그건 중요치 않았다. 힘든 것도 모르게 하루하루가 행복했다. 아버지한테 너무너무 고마웠다.

그 당시 성민식당의 불은 언제나 환하게 켜져 있었다. 장사할 기회를 주신 아버지께 한없는 감사함을 느끼며 오늘 하루도 그렇게 또 지나간다.

**#자동차 면허 시험**

식당을 하다 보니 자동차 면허증은 필수라는 걸 느꼈다. 장사가 잘된 이후 물건을 배달시키는 것보다 내가 직접 농수산물 시장에 가서 하나하나 보고 구매해 오는 것이 더 중요했다. 남편은 1년 전부터 운전 면허시험에 도전했는데, 돌아오는 건 연이은 낙방. 벌써 여섯 번째 떨어졌다. 남편만 믿고 기다리기에는 내가 너무 여유가 없었다. 그래서 바로 학원에 등록하고 공부를 시작했다. 난생처음 운전 면허시험이라 떨리기도 하고 무섭기도 했다.

드디어 필기시험에 합격하고 실기만 남겨놓은 상태. 실기시험 보기 전 학원에서 운전대를 처음 잡았는데 생각보다 너무 재밌는 것이 아닌가. 내가 조작하는 대로 척척 알아서 차가 오고 가니

'진작 면허 딸 걸'

하는 생각까지 들었다.

비가 엄청나게 오던 7월 29일. 장맛비가 차창 바로 앞도 볼 수 없을 정도로 내렸다. 시험이 취소되기를 바랐지만, 그냥 강행한다는 청천벽력 같은 소식이 들렸다. 비가 계속 오는데도 난 침착하게 배운 대로 시험을 봤다. 그런데 이상하게도 운전이 더 잘 되는 것이 아닌가. 한 바퀴를 돌고 내리는데 갑자기 팡파르가 울렸다.

'하…. 떨어졌구나.'

그 순간 스피커에서 내 이름을 부르며 안내방송이 나왔다.

"축하합니다. 합격입니다."

그것도 만점이란다. 그래서 팡파르를 울려준 거라 한다. 나는 기분이 좋아 빗속에서 방방 뛰었다. 운전교육 후 면허증을 가지고 집으로 돌아가면서도 기쁨을 주체하지 못했다. 한걸음에 달려가 남편에게 자랑했다.

"자기야, 나 면허증 땄어! 한 번에 땄어!"

근데 남편 안색이 안 좋다. 게다가 오히려 퉁명스럽게 호들갑 떨지 말란다. 나는 잊고 있었다. 남편은 무려 6번을 떨어졌었다는 것을. 순간 웃음이 났지만 몰래 웃을 수밖에 없었다. 아내가 난생처음 면허증을 땄는데 남편 표정이 안 좋은 부부는 우리밖에 없을 듯하다. 그날 이후 신형 소형차를 사서 시장도 보러 가고, 아이들을 태우고 여기저기 놀러도 다녔다. 내가 면허를 딴 6개월 후 남편도 면허증을 땄고, 그런 남편에게 잘했다고 격려해 주었나. 도전하는 정신은 아름답고 행동으로 보여주는 삶은 더 아름답다.

#운전면허시험 합격 후 자가용 타고 여행 다니는 모습

**#아침마당 출연**

2001년도 올해는 아버지 고희(칠순)이시다. 부모님께 자식으로서 기억에 남는 무언가를 해드리고자 고민 끝에 부모님이 <KBS 아침마당>을 즐겨보신다는 걸 알았다. <아침마당> 프로그램에서 '부모님 앙코르 결혼식 코너'라는 게 있어 방송국에 직접 출연문의를 해보니 작가님이 방송국으로 받은 사연 중 채택이 되어야만 방송을 할 수 있다고 했다. 여러 날을 글을 쓰고 지우고 쓰기를 반복해서 사연을 신청했다.

한 달, 두 달 방송국에선 소식이 없었고 포기할 때쯤 전화 한 통이 걸려왔다. 사연이 채택된 것이었다. 그런데 7남매 포함 사위들까지 모두 빠짐없이 이틀 동안 촬영을 하는 조건이었다. 가족들은 모두 동의했고 당사자인 아버지만은 절대 비밀로 하는 몰래카메라 식이었다. 자식들은 몰래 한 명씩 영상 편지를 찍고 나중에 공개하는 식의 내용이다.

7남매는 녹화 날짜에 맞춰 모두 일산 집에 모였고 갑자기 몰려온 우리를 본 아버지는 깜짝 놀라 눈이 휘둥그레졌다. 물론 엄마는 알고 계셨다. 우리는 큰 형부가 갑자기 외국으로 출장 가서 3년 있다 온다는 연기를 했고, 엄마는 한술 더 떴다.

"얘긴 들었어. 외국 간다며"

아버지를 감쪽같이 속이는데 성공하셨다. 조금 있다가 방송국 리포터가 오기로 되어 있고 대본대로 우린 모른 척하기로 하였다.

30분 후 방송 리포터가 <KBS 아침마당> 로고가 새겨진 모자를 쓰고 나타났다. 아버지는 어디서 많이 본 듯한 얼굴인데 하고 고개를 갸우뚱하시는 찰나

"혹시 <아침마당> 리포터 아니에요? 우리 집엔 무슨 일로 오셨어 그래"

바람잡이 엄마가 질문하자 리포터는 이 동네에 맨손으로 물고기를 잘 잡는 분을 찾고 있다면서, 1등 상금이 100만원이라고 너스레를 떨자 우리 7남매 합창 하듯이 외쳐댔다.

"그분이 우리 아버지에요. 잘 오셨어요. 아버지 한 번해. 한번

해."

아버지는 오히려 더 적극적이셨다.

"상금 100만원이라니 당장 해야지."

사실 아버지는 맨손으로 물고기를 잘 잡으시기로 소문나신 분이다. 아버지 동네 지인 분들과 친구 분들도 사전에 알고 계신 다들 바람잡이 분들이시다. 일단 근처 개울에서 두 시간 후 만나기로 하고 제작진들이 미꾸라지 한 봉지를 시장에서 사다가 미리 개울 속에 풀어놓았다. 거기다 웃음을 더하려고 마른 오징어 자반고등어까지 같이 풀어놓았다,

동네 아저씨 분들과 아버지 모두 다섯 분이 호루라기 소리와 함께 30분 동안 맨손으로 물고기를 잡는 시합을 한단다. 많이 잡는 분이 1등이다. 호각소리와 동시에 여기저기서 잡느라고 난리법석이었다. 우리 남매들은 아버지가 1등하기를 응원했고, 다른 아저씨들은 잡아도 그냥 우리 아버지 쪽으로 밀어주는 걸로 입을 맞췄다.

20분 후 어느 정도 잡은 아버지는

"이게 뭐야? 웬 자반고등어가 여기서 나와? 뭔 일이래. 허허"

우리 모두는 웃음바다가 되고 제작진분들도 웃느라 정신이 없었다. 드디어 종료 소리가 울렸고 예상대로 아버지는 1등을 하셨다.

아버지는 100만원 피켓을 들고 춤을 추며 집으로 왔다. 제작진들은 집에 다들 모이라면서 TV를 켰다 우리 남매가 하루 전날 미리 찍어둔 영상 편지를 공개했다. 엄마, 아버지 눈시울이 붉어지셨고 이 모두가 앙코르 결혼식을 올려드리려는 몰래카메라였다고 제작진이 말했다.

#2001년 아침마당 출연 당시 앙코르 결혼식 모습

#2001년 아침마당 출연 당시 리포터와 기념사진

#아들

아들은 어려서부터 말썽 한번 부려본 적이 없다. 한 번쯤 떼를 쓰거나 할 법도 한데, 전혀 없다. 온순함 그 자체였다. 친정 쪽이나 시댁 쪽이나 엄청 예뻐했다. 유치원부터 초등학교, 중·고등학교까지 아들의 목소리는 들리지 않을 정도로 온순하고 성격 자체가 선했다. 누구나 한 번쯤 겪는 사춘기도 아주 조용히 지나갔고, 친구도 많고 고맙게도 이상한 애들은 아예 사귀지를 않았다.

한번은 군대에서 제대 날짜에 맞춰 연천(복무지)으로 남편과 같이 갔는데, 군 복무를 마치고 저 멀리서 나오는데 몇몇의 병사들이 뒤따라 나오더니

"박 병장님 더 있다 가시면 안 됩니까?"

라는 말까지 하는 걸 보고 나는 속으로 군 생활도 나름 잘했구나 하면서 대견스러웠다. 부모님 속을 한 번도 썩일 일 없이 주어진 자기 일을 말없이 알아서 하는 모습에 늘 고마운 마음을 갖는다. 군대 제대 후 남은 학기를 마치고 일사천리로 쉬는 날 없이 취업에 성공해 직장에 다니고 그야말로 속 깊고 착한 아들이다. 공부를 잘하기보단 인성이 먼저라는 것을 아는 아들이다. 고맙다.

'아들아 넌 누구보다 잘될 거다. 믿는다. 사랑한다.'

**#장관씨와 소례씨**

박장관씨는 1916년생이시고, 김소례씨는 1922년생이시다. 두 분은 부부이시고 나의 시아버님, 시어머니시다. 슬하에 아들만 내리 육형제를 낳으셨고, 그중 막내아들이 나의 남편이다. 난 막내며느리로 시집을 왔다.

아버님은 내가 시집왔을 때, 허리가 굽으시고 주로 한복을 입고 계셨다. 어머님 역시 참빗으로 곱게 빗은 머리에 은비녀를 하고 한복을 입고 계셨다. 전형적인 옛날 분이셨다. 시대를 잘못 만나 고생도 엄청 하신 분들이시다. 일제강점기 때 일본군에 끌려가 노동착취를 당하셨고, 나라 잃은 설움이 배고픔보다 더 절실했을 것이다. 두 분 다 힘들고 고된 삶의 연속이었을 것이다. 자식은 많고 양식은 넉넉하지 못하고, 어머님 고생은 감히 나로선 짐작조차 할 수 없을 것이다. 친구 같은 딸 하나 없이 우글우글 대는 사내뿐이었으니, 어머님도 참 가여우신 분이셨다.

한번은 난생처음 시어머님을 모시고 목욕탕을 간 적이 있었는데 어머님이 무척 좋아하셨다. 홀딱 벗은 고부간이었지만 누가 봐도 모녀간처럼 서로 등도 밀어주고 흰 우유도 한 잔씩 했다. 별건 아닌데 어머님은 고맙다는 말을 여러 번 하셨고 흐뭇해하셨다. 나는 속으로 자주 모시고 가야겠다고 다짐을 하곤 했다.

막내아들을 마흔둘에 낳으시고 평생을 자식 낳으시느라 당신 생활 없이 한 평생을 그렇게 사신 분이시다. 어머님은 막내아들 손녀인 우리 딸 나리를 많이 예뻐해 주셨다. 직접 자장가도 만들어 주셨다.

"나리~ 나리~ 개나리야~ 잘 먹고~ 잘 자라~"

오실 때마다 손녀를 위해 토닥토닥 불러주셨다. 지금은 두 분 다 돌아가시고 안 계시지만 나는 가끔 목욕탕을 가면 어머님이 생각난다. 옛날 분이신데 이름도 참 예쁘시다. 김소례씨 그 당시 이름들이 대부분 점례, 말순이 막례 이름들이 많은데 우리 시어머님은 세련된 소례씨다. 내 이름보다도 훨씬 예쁘시다. 가끔 그립고 보고 싶어요. 아버님, 어머님. 장관씨, 소례씨.

#장관씨와 소례씨

**#순돌이**

세월이 무색할 정도로 너무 빠르게 지나가는 것 같다. 어느덧 내 나이도 40대 중반 자식들도 다 커서 성인이 됐다. 딸은 대학에서 작가가 되기 위해 공부를 하고, 아들은 내일모레면 군대에 간다.

며칠째 잠도 안 오고 밥맛도 없다. 어느 부모나 아들을 군대 보내면 나와 같은 심정일 것이다. 날씨는 무덥고, 한여름에 보낼 것 생각하니 걱정이 한 보따리다. 며칠 뒤 머리를 빡빡 깎은 아들을 보니 만감이 교차한다. 눈물을 꾹 참고 의정부 보충대에 아들을 보내고 돌아오는 길에 뭔지 모르게 밀려오는 그 허전함은 어떻게 표현할 수가 없다.

집에 돌아와 텅 빈 아들 방을 보니 눈물이 왈칵 쏟아졌다. 하루, 이틀이 지나고 집에 있기 싫어 무작정 생각 없이 걷는다. 멍하니 벤

치에 앉아있다, 걷다, 앉다, 걷다를 반복. 문득 상가 앞을 지나는데 한 가게 앞에서 발길이 멈춰졌다. 가게 유리상자 속에 아주 작고, 연약한 강아지와 눈을 마주쳤다. 생후 한 달쯤 된 말티즈가 눈을 비비며 나를 쳐다본다. 주책맞게 갑자기 눈물이 주르륵 쏟아졌다. 새로운 가족 부모를 기다리는 것이 불쌍해 보였다. 문을 열고 원장님과 상담 후 강아지를 안고 집으로 무작정 왔다.

강아지 이름을 '순돌이'라 짓고, 군대 보내는 아들 대신 '순돌이'를 얻었다. 그렇게 우린 새로운 식구가 생겼고, 그 후 우울증은 없어졌다.

#아버지

우리 아버지는 열네 살 되던 해에 아버지를 여의시고 홀어머니를 모시며 여동생 둘과 일산에서 사셨다. 일찍이 가장 노릇을 하신 아버지는 6.25 사변 때 엄마를 만나 스무 살에 결혼과 동시에 전쟁터로 바로 나가셨다. 그때는 군복무가 7년이라 하셨다.

아버지는 참으로 힘든 세상에 태어나서 온갖 고생만 하셨다. 넉넉지 않은 살림에도 자신이 못 배웠다며 딸들도 배워야 성공한다고 교육을 강조하셨다. 그 당시 70년대에는 딸들은 많이 배워서 뭐하냐면서 공장을 보내는 집들이 대다수였는데 그런 걸보면 우리 부모님은 다르셨다. 그리고 시골서 공부하는 것보다 도시에서 공부하길 원하셨다. 우리 아버지는 부지런하고 근면 성실함이 몸에 배어있는 분이셨다. 아버지가 나에게 해주신 최고의 칭찬은 다름 아닌

"지지배 일을 곧 잘해~ 아주 잘해~"

그 말씀이시다.

내가 중학교에 입학했을 즈음 하루는 수돗가에서 교복을 빨고 있는데 툇마루에 앉아계시던 아버지가 말하셨다.

"명숙아 빨래하는 김에 아버지 양말도 같이 빨거라."

수돗가로 가져다주시면 문제가 안 되는데, 신고 계신 양말을 돌돌 말아 냅다 수돗가로 던지셨다(참고로 툇마루와 수돗가의 거리는 상당한 거리였다). 던져진 양말은 바로 세숫대야에 풀어놓은 비눗물로 한 순간에 퐁당 떨어졌고, 난 그만 비눗물로 얼굴이 범벅이 되었다. 입고 있던 옷도 엉망이 되었다. 눈은 따가웠고, 순간 나는 화가 나서 물에 젖은 아버지 양말을 다시 뒤로 힘껏 던지고 말았다. 곧이어 아버지가 소리치시는 게 들려왔다.

"이눔의 지지배!"

뒤를 돌아보니 내가 던진 양말이 아버지의 얼굴에 정통으로 맞아 나처럼 아버지 얼굴도 비누범벅이 되었다. 그 때 마침 밭에서 돌아온 엄마가 이 광경을 지켜보셨는데 양말이 이쪽, 저쪽으로 날아다니는데 아주 볼만했다고, 혼자보기 아깝다고 웃으시는데 나는 겁이 나서 그대로 도망쳤다.

# #봉윤씨와 검정고시

봉윤씨는 남편이다.

베이비붐 세대에 태어난 봉윤씨는 육형제 중 막둥이다 그때만 해도 집은 가난하고, 자식은 많고, 시골에서 굉장히 어렵게 살았다한다. 큰형님과 나이 차이는 무려 20살. 일찍 결혼했으면 아들 뻘이다.

큰 형수의 손을 잡고 가슴에 커다란 손수건 달고 국민학교에 입학했다한다. 중학생의 부푼 꿈을 안고 국민학교를 졸업했고, 가정형편 때문에 중학교 육성회비를 마련 못한 봉윤씨는 뒷동산에 올라가 혼자 그 어린 나이에 엄청 울었다 한다. 열네 살 소년은 여기저기 객지를 떠돌며 원치 않은 소년공이 되어야만 했다. 일찍이 서울로 상경에서 기술도 배우고 돈을 많이 벌어야 산다는 걸 깨우쳤다.

스물다섯 살에 배운 기술로 자영업을 시작했고, 그 당시 나를 만나 안정된 결혼 생활을 이어갔다.

딸, 아들 낳고 아들이 고등학생 될 무렵쯤인가 봉윤씨는 잠도 안 자고 매일 늦은 시간까지 책을 본다. 혼자서 독학으로 검정고시를 남몰래 준비를 해왔던 것이다. 얼마 후 검정고시를 봤고 중학교 졸업이라는 합격증을 내게 내밀었다. 난 엄청 칭찬을 해주었다. 당신도 할 수 있다는 자신감을 불어넣어 주었던 것이다. 그전에도 배우고자 하는 열망이 있다는 걸 잘 알았기에 남편이 대견했다. 컴퓨터로 공부도 하고 틈나는 대로 영어 공부도 하는 모습이 보기 좋았다.

너무 이른 나이에 뜻하지 않은 당뇨가 찾아와 고생을 많이 하기도 했다. 하던 크레인 사업도 접고, 두 발과 망막에 계속 터지는 합병증이 이어졌다. 몇 번의 수술과 입원을 반복했다. 한번 걸리면 완치가 어렵다는 당뇨병은 누구에게나 참으로 고생스러운 병이다. 난 살면서 봉윤씨 검정고시 도전과 합격한 것을 제일 잘한 일이라고 지금도 가끔 자랑을 하곤 한다.

# 합 격 증 서

제 2013-1-2- 호

성 명 봉윤

주민등록번호

위 사람은 2013년 05월 14일 고등학교 입학자격검정고시에 전 과목 합격하였음을 증명합니다.

2013년 05월 14일

인천광역시검정고시위원회위원장

**#봉윤씨(남편) 검정고시 합격증서**

#학골가요제

어느 봄날 내 생일을 맞아 친구들과 모처럼 일산 라이브 카페로 돈가스를 먹으러 갔다. 점심때쯤이라 여기저기 손님들도 어느 정도 있었다. 난 친구와 돈가스를 맛있게 먹고, 후식으로 커피도 한잔 마시는데 여기저기 이름 있는 가수와 무명 가수들의 사진이 많이 붙어 있었다. 중앙에 무대가 있었고, 전형적인 라이브 카페였다.

조금 있으려니 어떤 남자분이 마이크를 잡고 인사를 한 뒤, 오늘은 가수 공연은 없고 오후 2시, 오후 7시에 아마추어 노래 경연대회가 있다고 한다. 식사하시는 분들 중에 노래 관심 있으면 30분 후 오후 2시에 진행되니 접수를 해달라는 것이다. 그러더니 다른 테이블에서는 이미 알고 왔는지 제법 접수들을 하신다. 옆에 있는 친구가 나를 부른다.

“야, 명숙아 너 노래 잘하잖아. 도전해 봐. 학교 다닐 때도 많이 불렀잖아.”

자꾸 나가보라고 한다. 맨 정신은 안 돼서 맥주 한 병을 시켜서 마셨다.

‘해볼까?’

재미삼아 해보자고 생각하고, 이내 부를 곡을 접수하고 기다리는데 다른 사람들이 제법 잘 한다. 내 이름을 호명하자 무대 중앙으로 나갔다. 내가 부를 노래는 ‘이선희’의 <J에게> 평소대로 불렀다. 한 10명쯤 참가했는데, 바로 발표를 한단다. 이게 뭐라고 떨리기까지 했다.

사회자는 은상, 금상, 대상 순으로 상품이 있고 월말에 대상 받은 사람끼리 24명 연말의 경연대회를 한다고 한다. 기대도 안 했고 갑작스런 일이라 이벤트식 경험이라 여겼는데, 내 이름을 부르더니 대상이라 한다. 나는 깜짝 놀라 약간 기쁘기도 하고 웃음도 나왔다. 친구들은 박수를 치고 난리도 아니었다. 생일 이벤트로 나쁘지 않았다. 소정의 상품을 받고 번호를 남기고 돌아왔다.

그 후, 그 해 12월 연말 결선 참가하라며 전화가 왔다. 나는 참가해서 대상 받은 24명과 함께 경합을 벌여 동상을 받았다. 노래 꽤

나 하는 사람들이 많이 왔다. 비록 대상은 아니지만 동상을 받고, 트로피와 꽃다발을 들고 집으로 왔다. 막내 남동생과 큰언니가 같이 가서 응원한 덕에 이루어진 것이다.

**#학골가요제 동상(트로피) 수상 모습**

## #문경, 어느 산골의 할머니

고즈넉한 시골 마을. 들판에 벼 수확을 다 걷은 후, 시기적으로 김장을 준비할 때쯤인 늦은 가을이었다. 날씨도 제법 쌀쌀하다.

나는 몇 년간 직장생활을 했는데, 출장 가는 일이 많았다. 청소년 폭력 예방재단 산하 전국 초·중·고등학교를 찾아다니는 일을 몇 년째 하고 있을 때, 한 번은 문경 제일고등학교를 찾아갔다. 그땐 내비게이션도 없던 터라 오로지 지도책 한권에 의지하며 차를 몰고 찾아다녔다. 늦가을이라 오후 5시만 되면 시골은 더더욱 어둑어둑해진다.

마지막 교시가 끝나기 15분 전. 늦을까봐 속도를 내서 운전을 하는데 갑자기 도로가에 웬 허리가 굽은 할머니 한 분이 차를 향해

세워 달라고 손짓을 한다. 나는 바빠서 그냥 지나치고는 신호등에 걸려있는데, 아까 그 할머니가 거울을 통해 계속 보인다. 고민을 하다가 나도 모르게 후진을 해서 그 할머니 앞에 차를 세웠다.

"할머니 어디까지 가세요?"

남루한 옷차림에 그 할머님은

"색시, 저기 고개 넘어 집까지 좀 태워 태워줄 수 있겠나?"

하고 말씀하신다.

"저는 문경 제일고등학교에 가는데 같은 방향이세요?"

하고 물으니 그 근방이라 조금만 가면 된다 하신다. 얼른 차에 할머니를 태워서 달렸다. 학교가 끝나면 교장 선생님을 못 만날 거라는 초조함에 엑셀을 밟았다. 좀만 가면 된다는 할머니는

"저... 저기서 우회전으로 조금 들어 가야해"

하신다. 연세도 많고 하시니 우회전으로 돌아서 원하시는 곳까지 모셔다 드리자 생각했다. 가면서 나는 할머니에게 어디 다녀오시냐고 물어봤다. 할머니는 공장에서 끝나고 집에 가는 길에 버스를 놓쳤다

하신다. 그렇게 대화를 하면서 한참을 우회전 또 좌회전 또 우회전을 거듭하다 도착한 곳은 산꼭대기 집이었다. 할머니는 차에서 내리시며 말씀하셨다.

"색시, 어디 사람이요? 사투리도 안 쓰니..."
"저 인천에서 학교 일로 출장 왔이요."
"그럼 끝나면 저녁이나 먹으러 와."

라며 태워줘서 고맙다고 하신다. 나는 예, 예 하고는 학교로 차를 몰고 불이 나게 서둘러 갔다. 다행히 학교 일을 무사히 다 마쳤고, 밖은 어두워졌다. 문경시내에서 숙박을 해야 하니 아까 그 할머니가 생각났다. 나는 차를 몰고 아까 그 할머니 집으로 갔다. 불과 30분 만이다.

할머니와 할아버지 두 분이 사시는데 할아버지가 약간 치매끼가 있으신지 자꾸 공장에서 일하고 온 할머니를 야단을 치신다. 저녁밥을 빨리 달라고 어린아이처럼 투덜대시며 배고프다고 계속 재촉하신다. 할머니는 읍내 장갑 만드는 공장에서 일을 하시고 돌아와 전기밥솥도 없이 가마솥에 불을 떼시며 할아버지 밥상을 차리는데 시간도 오래 걸리신다. 나는 어차피 읍내 숙박비, 밥값을 쓰느니 할아버지에게 돈을 냉큼 드리며 하루 신세를 지기로 했다. 할아버지는 돈 4만원을 보시더니 보일러 온도를 올리시고, 난 그날 그 할머니 댁에서 저녁밥과 아침밥까지 얻어먹고 나왔다.

그렇게 시간을 보내고 일 때문에 가야 했는데, 자꾸 그 할머니가 측은해서 마음에 걸렸다.

일주일 후 다시 그 학교에 갈 일이 있어 가는 도중 문경시내에 나가 작은 전기밥솥 하나와 김을 한 박스 샀다. 그리고 곧장 그 할머니 집으로 갔다. 할머니는 날 보자마자 알아보시고는 엄청 반가워 하셨다.

"할머니 선물이요. 힘드실 텐데 여기다 밥해서 할아버지랑 맛있게 드세요."

하고 전기밥솥과 김 한 박스를 드렸다. 할머니는 눈시울이 붉어지시더니 이렇게 고마울 때가 있냐며 장독대서 된장을 싸주시고 감나무에서 감을 가지째 꺾어 차 뒤에 놓고 다니라고 건네주셨다. 나는 마음이 후련했다. 별거 아니지만 전기밥솥 하나에 따뜻함이 온 가슴을 뜨겁게 달궜다.

**#스타크래프트**

나이 마흔 살 특별한 취미 생활도 없다. 다소 무료하게 취미생활 없이 하루하루를 보낸다. 그때 당시 TV에서 프로게이머 '임요환'씨가 굉장히 유명세였는데, 그로 인해 처음 <스타크래프트>라는 게임을 알게 됐다. 임요환씨의 게임하는 모습을 보는 게 엄청 재밌고 흥미로워 보였다. 게임 방송을 본 그 순간의 감정을 아직까지 잊을 수가 없다.

한창 흥미를 가질 때쯤 동네 PC방에 들어갔다. 게임의 '게'자도 모르는 나는 <스타크래프트> 하는 방법을 PC방 알바생에게 집요하게 물어 일주일 내내 다녔다. 귀찮을 만도 한데 그 알바생은 자세히 가르쳐줬다. 나는 <스타크래프트>에서도 3가지 종족 중 '테란'을 좋아했다. '테란'의 신 임요환씨를 생각해보며 하나하나씩 빠져들었다.

나이 마흔인데도 해보니 되더라. 조금씩 '테란' 집도 짓고, 미네랄도 채취해서 병사도 만들고, 탱크도 만들고 그야말로 게임에 빠져들었다. 적군의 길목도 알고 '프로토스'나 '저그'는 만들기는 쉽지만 단점은 '테란'보다 약하다고 생각한다. '테란'은 짓기까지가 시간도 걸리고 더디지만 일단 한번 만들면 무적의 부대다.(적어도 내가 만들 땐 그랬다.)

그리고 전투를 하면 매번 '테란'에게 당한다. 치고 빠지는 전략도 매번 필요하다. 뇌 순환에도 정말 좋다고 생각한다. 왜 이걸 진작 알지 못했나. 너무 재미있었다. 하루에 3시간씩 '테란'에 미쳐 있었다. PC방에서 다시 집으로 와서 잠을 자면 온통 천장이 <스타크래프트> '테란'이 보일 정도였다. 몇 달을 하루에 두세 시간씩 취미로 <스타크래프트>를 했다. 나의 유일한 즐거움이었다.

나중에 아들을 데리고 PC방 가서 <스타크래프트> 대결을 했는데 내가 이겼다. 그것도 한 번이 아니고 할 때마다 이겼다. 엄청 기뻤고 승리의 감격 머리끝까지 치솟았다. 아들은 간혹 그때 얘기를 한다. 엄마한테 게임에서 한 번도 이긴 적이 없다고.

그 후 나는 온라인게임 <스페셜포스>(총 쏘는 게임이다)를 배워 개인전, 단체전에서 곧잘 1등을 하곤 했다. 나는 게임 잘하는 사람들처럼 더 좋은 아이템(무기)은 없지만 기본으로 제공되는 무기로 치고 빠지는 걸 잘한다. 사실 새로운 무기로 바꿀 줄도 모른다.

내가 PC방에서 게임을 하면 몇몇 사람들이 뒤에서 쳐다본다. 나이도 있는 아줌마가 제법 잘한다고 말한다. 내가 유일하게 스트레스를 푸는 취미 생활이다. 늦게 배워본 게임처럼 나이 육십에도 새로운 것에 도전을 할 것이다. 재미있지 않은가? 자꾸 해보는 것도 나쁘지 않다. 두뇌 회전이나 건강에도 분명 약보다 나을 것이다.

# Part 5

#아버지, 엄마 한 쌍의 별이 되다

2015년 여름, 전화기 속 떨리는 큰 남동생의 목소리.

"누나 방금 아버지가 돌아가셨어"

다급한 목소리였다. 정신없이 아버지가 입원해 계신 일산요양병원으로 황급히 달려간 나는 아버지가 벌써 일산 백병원 영안실로 옮겨졌다는 소식을 들었다.

사실 아버지는 1년 넘게 병원 생활을 하셨다. 1년 전 뇌출혈로 쓰러진 후 연세도 많으시고 회복도 잘 안돼서 병원으로 모셨다. 그렇게 소원하시던 집에 가고 싶다는 말씀을 지키지 못한 채 세상을 떠나셨다. 아버지는 열네 살에 할아버지를 여의시고 홀어머니 누이,

동생들과 어린 나이에 가장으로 안 해본 일이 없이 고생을 많이 하셨다.

6.25 사변 겪고 스무 살에 전쟁터에서 7년을 군인으로 복무하셨다. 당시 춥고 외로운 전쟁터에서 서로 의지하고 믿었던 전우들이 총에 맞아 쓰러지는 모든 일들을 당신 두 눈으로 하루에도 몇 번씩 목격하셨다. 무섭고 언제 죽을지 모르는 전쟁터에서 그 얼마나 고통스러운 트라우마를 겪으셨는지를 감히 우리는 상상도 못할 것이다.

이따금씩 막걸리 드시면 그때 전우들 전쟁 이야기를 하시며 눈시울이 붉어지신다. 그렇게 배고프고 힘든 시절을 고생만 하신 분이다. 이천 호국원에 아버지를 양지 바른 곳에 모시고 돌아오는 길이 너무 가슴 아팠다. 홀로 계신 엄마에게 더 잘해드려야겠다는 다짐을 해본다.

그 후 3개월쯤 지나 같은 해에 어머니까지 세상을 떠나셨다. 엄마도 몸이 안 좋으셨지만 이렇게 너무나도 빨리 아버지 곁으로 서둘러 가실 줄 짐작조차 못했다. 아버지 돌아가시고 엄마는 외롭고 아버지를 많이 그리워하셨다. 어둡고 추운 그 길을 아버지 손을 꼭 잡고 당신이 같이 가시고 싶으셨나 보다. 그래서 그렇게 서둘러 가신 것 같았다. 나는 가슴이 먹먹해졌다. 이제 나는 부모님을 볼 수 없다는 생각에 계속 눈물만 흐른다. 아버지 옆에 나란히 엄마를 모시고 난 후 며칠째 잠이 오지 않는다. 우리 7남매 잘 키우시고 건강하게 보살펴 주신 부모님. 가장 높은 하늘에서 가장 빛나는 별이 되어 우릴 보고 계실 것이다.

두 분의 딸로 태어나서 고맙고, 사랑하고, 감사합니다. 외로움은 참고 시간이 가면 해결이 되지만 그리움은 꼭 그 사람이어야만 치유가 됩니다. 부모님이 많이 그립습니다. 그리움 속에 난 오늘도 숨쉬고 하루를 살아갑니다.

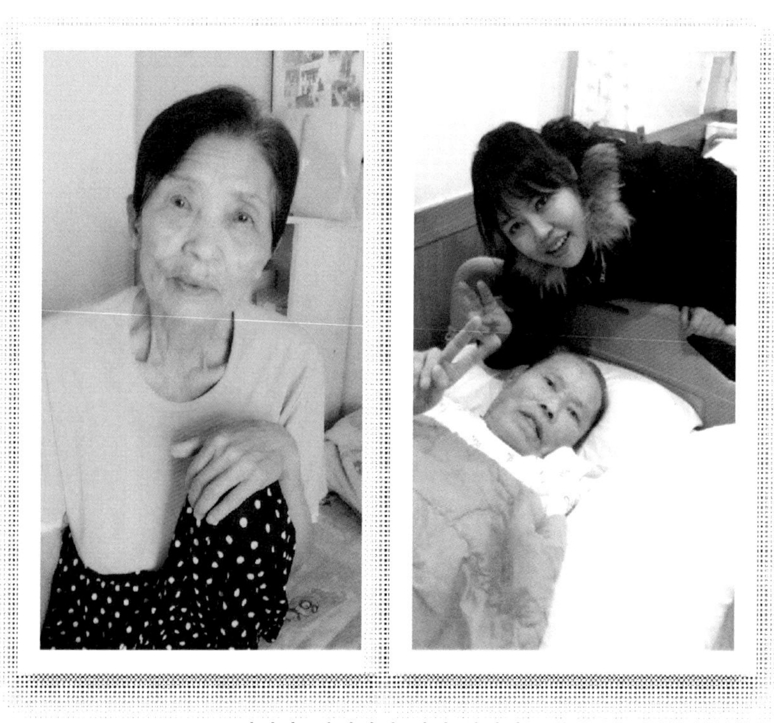

**#어머니, 아버지의 생전 마지막 모습**

**#국수가게 〈면시〉**

시간이 흘러 아들도 군대 제대를 하고 남은 대학 과정을 졸업하고 동시에 취직도 일사천리로 잘했다. 딸도 전공을 살려 방송 작가로 맹활약 중이다. 많이 고맙게 생각한다. 내 나이 오십을 넘기고 이것저것 생각 끝에 작은 국수 가게를 오픈했다.

가게 이름은 <면시>. 간판을 달고 메뉴를 정했다.

'난 할 수 있어, 잘하고 말 거야'

하루에도 수십 번 속으로 되새기며 영업을 했다. 다행히도 손님들 반응이 매우 좋았다. 음식이 맛있다고 할 때마다 힘이 절로 생겼다. 앞치마를 요일별로 두르고, 머리에 두건도 색깔별로 매일 다르게 쓴다. 청결함도 음식만큼이나 중요하게 신경을 썼다. 점심시간은 매일 자리가 없을 정도였다. 어떻게 점심시간을 보냈는지 기억이 나지 않을 정도로 바쁘게 훌쩍 지나간다.

저녁에는 안주를 개발해서 저녁도 인산인해 그야말로 정신이 없다. 매일 아침 멸치 육수를 그날 쓸 것만 준비해놓고 매일 반찬이 다르다. 김치는 매일매일 담근다. 시각적인 면에서 그릇 하나, 고명 하나 연구를 한 결과, 단골손님이 제법 많이 생겼다. 어차피 재개발 구역이라 2년 밖에 할 순 없지만 난 하루하루 즐겁고 맛있게 드시는 손님 얼굴을 보면 힘들고 지쳐도 눈 녹듯이 피로감이 스르륵 사라진다. 또 내일을 기다린다.

#2018년 개시한 국수가게 <면시>의 당시 모습

#국수가게 <면시> 영업 종료를 며칠 앞둔 날 마지막 사진

## #딸내미 시집가던 날

딸내미가 벌써 서른둘. 만나던 남자친구와 내일 모레면 결혼을 한다. 마취도 잘 안돼서 그렇게 생사를 오가며 낳은 딸이 어느새 이렇게 나이를 먹어 시집을 간다 하니, 기쁨 반, 눈물 반 이런 기분은 처음이다. 부모의 마음은 다 그럴 것이다. 그날 입을 한복도 찾아다 놓고 내일이면 다른 사람의 아내가 된다. 실감나지 않는다. 하객들 앞에서 나보고 축사를 하라니 긴장도 되더라.

날이 밝고 찾아온 결혼식 당일. 손님들이 많이 오셨다. 신부 측 좌석에 앉아 사위 손을 잡고 걸어오는 모습에 다시 눈물을 참는다.

'이렇게 예뻤던가'

고슴도치 엄마가 되어버렸다. 사위는 키도 크고, 성격도 온순하고 직장도 좋은데 다니니 걱정보단 안심이다. 드디어 축사 시간. 단상 위에 올라가서 딸아이와 사위를 보며, 지난 밤 써놓은 글을 차분히 읽어갔다. 억지로 눈물을 참으며 잘 살라고 행복 하라는 말을 끝으로 단상에서 내려왔다. 피로연과 함께 나는 이렇게 딸을 시집보내고, 이젠 어엿한 한 가정의 아내로서 드디어 너를 보낸다.

잘 살 거라. 나의 딸.

## #외할머니가 되다

딸이 결혼한 지 3년째 되는 해. 임신 소식을 알려왔고, 남편과 나는 너무 기뻐 펄쩍펄쩍 뛰었다. 그도 그럴 것이 딸과 사위가 엄청 아이를 기다렸다. 딸아이의 마음고생을 생각하니 눈시울이 붉어졌다. 안정기를 잘 보내고 어느새 만삭이 된 딸은 친정집에 보따리를 싸매고 며칠째 와있다. 화성시에 사는 딸은 부천에 산부인과를 다녔기에 친정에 와있었다.

7월 22일 엄청 무더운 여름날 한 침대에서 같이 자고 있던 딸이 조금씩 미세하게 배가 아프다 했다. 자연분만을 고집했던 딸이었는데, 날이 밝자 짐을 챙겼다.

"엄마, 아무래도 병원에 가야겠어."

가는 내내 배가 아프다고 했다. 병원에 도착하니 금방 나올 것 같다며 입원실로 옮겼다. 코로나 때문에 엄마인 나는 들어갈 수가 없었다. 보호자인 사위만 유일하게 들어갔다. 사위는 회사에서 오는 중이고, 혼자 분만실로 들어간 딸아이를 생각하니 가슴이 아팠다. 얼마나 아플까, 많이 아플 텐데 난 제왕절개를 권유했지만 딸은 무조건 자연분만 할 거라며 꿈쩍도 않는다. 얼마나 지났을까, 그렇게 초조하게 기다린 끝에 딸은 예쁜 공주를 낳았고, 산모와 아기 모두 건강하다는 말에 안도의 한숨을 내쉰다.

우리 딸 고생 많이 했고, 그렇게 부모가 되어 가는 거야. 너도 자식을 낳아보니 이젠 알 것이다.

예쁜 손녀를 안겨줘서 고맙다. '아인'이라는 예쁜 이름처럼 잘 키우려무나. 엄마 아빠도 너희를 얼마나 소중하고 남부럽지 않게 키우려고 했는지 정말 노력했다. 아인아 태어나줘서 고맙고, 너로 인해 외할머니라는 타이틀을 갖게 됐구나. 정말 정말 사랑 한다.

#첫 손녀 '경아인'과 함께

#갱년기

내 나이 마흔여덟(48)됐을 즈음 갑자기 온몸이 누구한테 맞은 것처럼 여기저기 이유도 없이 아프고 땀이 날 정도로 덥다가 갑자기 오한이 오는 듯이 춥기를 매일 반복한다.

기분도 좋았다가 금방 짜증나고 13층에서 멍하니 밖을 보면 얼마 안 된 것 같은데, 두 세 시간째 생각 없이 그냥 멍하게 밖을 보곤 한다. 심지어는

'여기서 떨어지면 죽을까? 안 죽을까?'

이상한 생각도 했다가 아니지 하고 고개를 젓는 버릇이 생겼다.

이유 없이 바로 어깨가 아프고 호흡이 잘 안되고, 진땀이 나서 옷이 다 젖는다. 갱년기였다. 갱년기가 무서운 걸 그때 깨달았다. 밥도 하기 싫고 밥 달라는 남편을 째려보고 화를 내곤 했다. 갱년기는 예고도 없이 몇 년을 반복했다. 그 시기에 눈물도 많아졌다. 아이들이 사춘기도 없이 잘 지나온 것처럼 나도 마음을 다잡으려고 노력한다.

'이 또한 지나가리라'

되뇌며 계속 이겨 나갔다. 좋은 생각과 취미를 가지며 친구들과 여행을 다니기 시작했고, 그러면서 점차 아무 일 없이 지나가 버렸다. 어느 날 문득 돌아보니 한차례 몸살을 심하게 앓는 것처럼 앓다가 정상으로 돌아온 기분 그 자체였다.

지나가다 들꽃을 보면 꽃을 보고 말을 걸기도 한다. 한편으로는 풀 하나, 낙엽 하나도 생명이 있는 건데 생각하면서 무심히 지나간 것들에 대한 혹은 버려진 것들에 대한 소중함을 알기도 한다. 나는 오늘도 또 하루를 산다.

모든 것에 감사하며 내일을 맞을 준비를 한다.

## #그리운 내 친구

내겐 여고시절 절친인 삼총사가 있었다. 우린 고3 때쯤 더욱더 친한 친구 사이였고, 결혼 후에도 계속 만나며 수다 떨고 늘 함께 울고 웃던 소중한 친구들이다. 안성이 고향인 '예경'이와 서산이 고향인 '지민'이다. 다들 결혼 후 아이들이 커가면서도 우리의 우정은 변함없이 쭉 이어져 왔고, 서로 고민이며 애로사항, 기쁨까지 함께 했다.

어느덧 중년의 나이를 훌쩍 넘어 50대에 서산이 고향인 지민이는 캐나다로 가족과 함께 이민을 갔고 삼총사에서 이총사가 되었다. 안성이 고향인 예경이와 나는 서로 의지하며, 더욱더 가까워졌다.

하루는 친구 예경이가 자꾸 기운이 없고 피곤하고 몸이 예전 같지 않다고 큰 병원에 가서 진찰을 해보니 유방암 진단이 나왔다. 너무 깜짝 놀라 수술하면 괜찮을 거라고 위로의 말밖에 할 수 없었다.

예경이는 남편과 일찍 사별 후 재혼했다. 딸들을 얻고 재혼한 남편과 이혼한 상태였다. 친구는 성격이 온순하면서도 가엾고 불쌍했다. 병원에서는 암이 많이 크고 혈액으로까지 전이가 된 상태라 수술도 할 수 없다는 절망적인 말만 돌아왔다. 친구는 항암치료에 방사선에 머리카락이 다 빠져서 힘없이 아무것도 못 삼키는 그런 지경까지 왔다.

나는 차를 몰고 예경이를 태워서 바닷가를 데리고 갔다. 강화 바닷가를 보여주며 핏기 없는 친구의 얼굴에 웃음을 보았다.

"아무 일 없을 거니깐 걱정하지 말고 치료나 열심히 받아."

친구에게 토닥토닥해주며 말했는데 아픈 친구 모습에 눈물이 났다. 오늘따라 지는 석양이 너무나도 슬펐다.

그 후 나는 허리 디스크 협착증으로 병원에 입원을 했다. 시술 후 안정 차 2차 병원에 있었는데, 아픈 예경이한테서 전화가 왔다. 힘없는 목소리 너무 작은 목소리로 나를 불렀다.

"친구야, 나 지금 호스피스 병동으로 옮긴다. 면회도 안 되고 전화도 안 돼. 내 친구로 있어줘서 고맙다. 아프지 말고 잘 살아. 우리 다시 만나자."

하고 전화를 끊는데 온몸이 오싹했다. 자기 스스로 걸어서 그 무섭고 두렵고 고독한 길을 선택을 하다니 다시는 못 본다는 생각에 잠이 오질 않았다.

그렇게 일주일도 채 지나지 않은 5일 후 친구 딸에게 한 통의 전화가 걸려왔다. 이모하며 엉엉 울면서 말을 했다.

"지금 막 엄마가 눈을 감았어요."

나는 친구의 죽음에 망연자실 정신없이 펑펑 울었다. 너무 가엾고 불쌍하고 순진하고 착한 친구를 떠나보내야만 한다는 사실이 서러웠다. 나는 택시를 잡아타고 병원 영안실로 뛰어갔다. 영정사진 속 친구의 얼굴은 너무 젊고 예쁜데, 이상하게도 활짝 웃는 사진은 나를 더 슬프고 힘들게 했다.

친구를 하늘나라로 보내고 며칠 동안 말이 없어졌다. 너무 허전하고 보고 싶은 마음에 먼 창밖만 내다본다. 삼총사 중 한 명은 머나먼 캐나다로 이민을 갔고, 그중 한 명은 나비가 되어 하늘로 날아갔으니 나는 혼자라는 생각에 가슴이 먹먹해지고 이 허전함을 이겨내기엔 내 모습도 측은했다. 오늘은 친구가 보고 싶어 친구가 있는 납골당에 꽃 한 송이를 꽂아둔다.

#영원한 삼총사 '지민(좌)', '예경(우)'과 함께

#내 나이 오십아홉

잡을 수도 만질 수도 없는 것이 세월이라는데 어느덧 육십을 내다보는 내 나이. 언제 이렇게 시간이 흘렀는지 마음은 아직도 시골에 소녀처럼 멈춘 것 같은데, 하나둘씩 늘어나는 주름과 나이는 떫은 감과 홍시 감의 차이랄까.

나도 엄마가 처음이었고 오늘 이 나이도 처음이다. 내 욕심, 야망보다는 좀 더 배려를 하며 살았고 가진 건 별로 없지만 인정만큼은 뒤지지 않게 살았다. 온갖 명품으로 치장하기보단 행복한 명품 웃음으로 상대에게 웃음을 주려했고, 값비싼 음식보다 동네 커피 한잔을 좋아했고, 나름 평범했다.

시간이 갈수록 나이 더 먹기 전에 해보고 싶은 것도 다 하고 싶고, 글도 잘 쓰고 싶고, 노래도 더 잘 부르고 싶다. 유일한 취미 생활 버스킹, 재능기부 봉사활동도 계속 이어갈 것이다.

난 오늘이 제일 젊다는 걸 잊지 말고 도전하는 여인, 배우는 여인으로 하루하루를 또 맞이할 것이다. 그리고 그 무엇보다 못하고 산 것 중 하나.

나는 나 자신을 사랑할 것이다.

#나를 돌아보며

어느덧 60세를 마주하며, 언제 이렇게 소리 없이 세월이 흘렀는지 모르겠다.

꿈 많던 소녀에서 일찍 결혼하고 얼마 안 가 남매를 낳아 딸이 시집을 가고, 내게 귀하고 예쁜 손녀를 선물하며, 거울 속 나는 그간 못 느끼던 세월의 흔적이 보인다. 잘 자라주는 아이들에게 숙연해진다. 당뇨로 고생하는 남편을 보고 있는 것도 애달프다. 그 속은 또 어떠할까? 측은하다. 잘해주지는 못했지만 나름 열심히는 살았다.

이젠 나를 위해 나 자신을 돌보면서 살고 싶다. 누구누구의 엄마, 아내가 아닌 내 이름 석 자를 내세우며 그동안 하지 못한 작은 꿈,

하고 싶은 것들을 더 늦기 전에 도전해 보고 싶다.

예전부터 글을 쓰고 싶단 생각만 했었는데 이제라도 써보니 가슴 한 편이 후련하고 흐뭇함이 밀려온다. 나는 몇 년 전부터 해오던 요양원 무료 노래 봉사도 계속해서 할 것이다. 한 달에 한 번씩 월미도에서 노래 봉사 공연을 하는데, 그 또한 감사하다. 더 아프고 나이 먹기 전에 후회하지 말고 난 오늘도 옷을 갖춰 입고 무대에 선다.

행복하다.

이젠 나도 나를 우선시하고 사랑하며 남은 생을 보낼 것이다. 인생은 정답이 없지만 한번 온 인생을 잘 활용하면 그 속에 해답이 있다. 아무 일도 하지 않으면 아무 일이 생기지 않듯이 도전하면 배우고 나누고 실천하면 어떤 일이든 생긴다.

#### #맺으며

세상에는 어느 하나 소중하지 않은 게 없다. 우리는 바쁘다는 핑계와 시간 없다는 핑계로 그냥 지나친다. 들판에 이름 없는 꽃들도 계절에 따라 자기 소임을 다하는데, 우린 보잘것없이 무시하고 밟고 지나간 적이 있지 않은가. 이 나이 먹도록 누군가에게 상처를 얼마나 주었고, 이기심은 또 얼마나 챙겼는지 또 그걸 스스로에게도 물어본다.

천천히 가든 조금 빨리 가든 목적지는 같은데 또 얼마나 서두르면서 아우성을 치며 급했는가. 이 나이 먹어 돌이켜보니 거기서 거기인데 말이다. 나이 육십이 가까이 오면 더 내려놓는 연습을 한다.

오늘도 다가올 내일도 마지막 글을 쓰면서 지금이라도 실천하고 있으니 나 자신에게 위로를 한다.

'이제라도 괜찮아. 하고 싶은 것 하고 살자. 좀 늦으면 어때?'

#감사의 말

이 책을 펴냄에 힘써주신 출판사 북콜리와 더불어 기획자 박두리님,
편집자 어관진님, 삽화 박나리님, 박봉신님,
블루샌드스튜디오 분들에게 진심으로 감사의 말씀을 드립니다.

더불어 제 기억 속에 추억으로 남아 기쁨과 슬픔, 감동이 되고,
책에 글자로 뿌리를 내리고,
이야기로 상상이란 가지를 치며,
끝내 잎이 되어 많은 이들의 눈에 닿기까지
저란 사람의 인생에 기꺼이 작은 나무 한 그루가 되어준
모든 인연들에게 사랑의 마음을 전합니다.

초판 발행 2024년 3월 1일

지은이 박명숙
기획편집 박두리 어관진
디자인 박두리
삽화 박나리

펴낸 곳 북콜리
e-mail doori226@naver.com
ISBN 979-11-980966-1-6